Nita Hastanede

Nita Goes to Hospital

Story by Henriette Barkow

Models and Illustrations by Chris Petty

Turkish translation by Talin Altun Suzme

Nita Rocky ile top oynuyordu. "Yakala!" dedi. Rocky zıpladı, kaçırdı ve topun peşinden koştu, parktan dışarı, yola doğru. "DUR! ROCKY! DUR!" diye bağırdı Nita. Rocky'i yakalamak için koşarken…

Nita was playing ball with Rocky. "Catch!" she shouted. Rocky jumped, missed and ran after the ball, out of the park and into the road. "STOP! ROCKY! STOP!" Nita shouted. She was so busy trying to catch Rocky that she didn't see…

ARABAYI görmedi.

the CAR.

Şöför hemen frene bastı. İİİK! Ama çok geçdi! BAM! Araba Nita'ya çarptı ve Nita iğrenç bir ÇATIRTI ile yere düştü.

The driver slammed on the brakes. SCREECH! But it was too late! THUD! The car hit Nita and she fell to the ground with a sickening CRUNCH.

"NİTA!" Annesi çığlık attı. "Biri hemen bir ambülans çağırsın!" dedi, Nita'nın saçlarını okşayıp onu tutarken.

Şöför hemen ambülansın numarasını çevirdi.

"Anne, bacağım ağrıyor," diye ağladı Nita ve yüzünden kocaman göz yaşları aktı.

"Acıdığını biliyorum ama hareket etmemeye çalış," dedi Annesi. "Yardım yolda."

"NITA!" Ma screamed. "Someone call an ambulance!" she shouted, stroking Nita's hair and holding her.

The driver dialled for an ambulance.

"Ma, my leg hurts," cried Nita, big tears rolling down her face.

"I know it hurts, but try not to move," said Ma. "Help will be here soon."

Ambülans geldi ve içinden iki görevli bir sediye ile çıktı.
"Merhaba, benim adım John. Bacağın çok şiş. Kırılmış olabilir," dedi.
"Hareket etmemesi için bu cebirelere alacağım."
Nita dudağını ısırdı. Bacağı gerçekten de çok ağrıyordu.
"Sen çok cesur bir kızsın," dedi onu sediye ile yavaşça ambülansa
taşırken. Annesi de arabaya bindi.

The ambulance arrived and two paramedics came with a stretcher.
"Hello, I'm John. Your leg's very swollen. It might be broken," he said. "I'm just
going to put these splints on to stop it from moving."
Nita bit her lip. The leg was really hurting.
"You're a brave girl," he said, carrying her gently on the stretcher to the
ambulance. Ma climbed in too.

Nita sediyede sıkıca Annesine tutundu ve ambülans sirenleri bağırıp ışıkları yanarak hızla gitti – hastaneye kadar.

Nita lay on the stretcher holding tight to Ma, while the ambulance raced through the streets – siren wailing, lights flashing – all the way to the hospital.

Girişte her yerde insanlar vardı. Nita çok korkuyordu.

"Canım, sana ne oldu?" diye sordu sevimli bir hemşire.

"Araba çarptı ve bacağım çok ağrıyor," dedi Nita göz yaşlarını tutarak.

"Doktor kontrol eder etmez sana ağrın için birşeyler veririz," dedi hemşire. "Şimdi ateşine bakmalıyım ve senden biraz kan almalıyım. Çok acımayacak."

At the entrance there were people everywhere. Nita was feeling very scared.

"Oh dear, what's happened to you?" asked a friendly nurse.

"A car hit me and my leg really hurts," said Nita, blinking back the tears.

"We'll give you something for the pain, as soon as the doctor has had a look," he told her. "Now I've got to check your temperature and take some blood. You'll just feel a little jab."

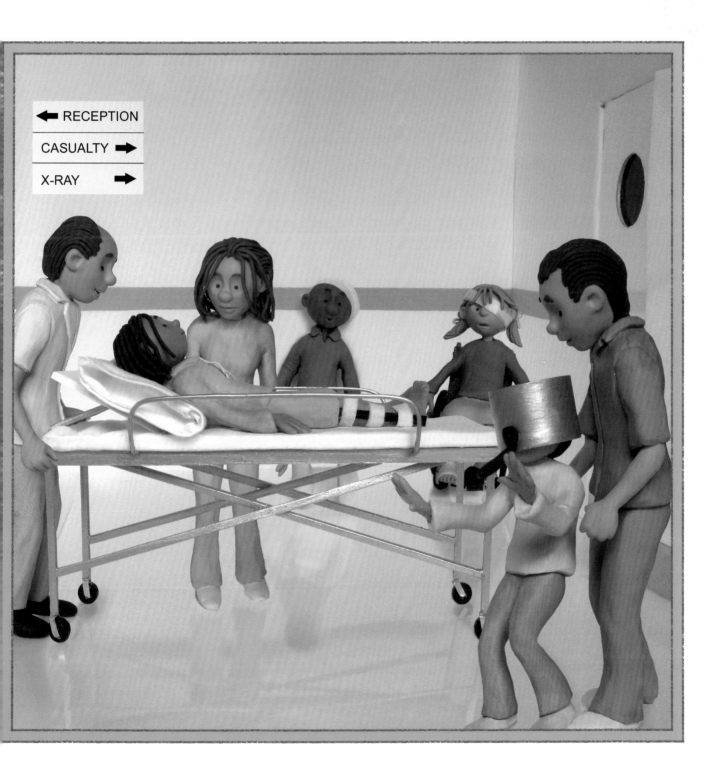

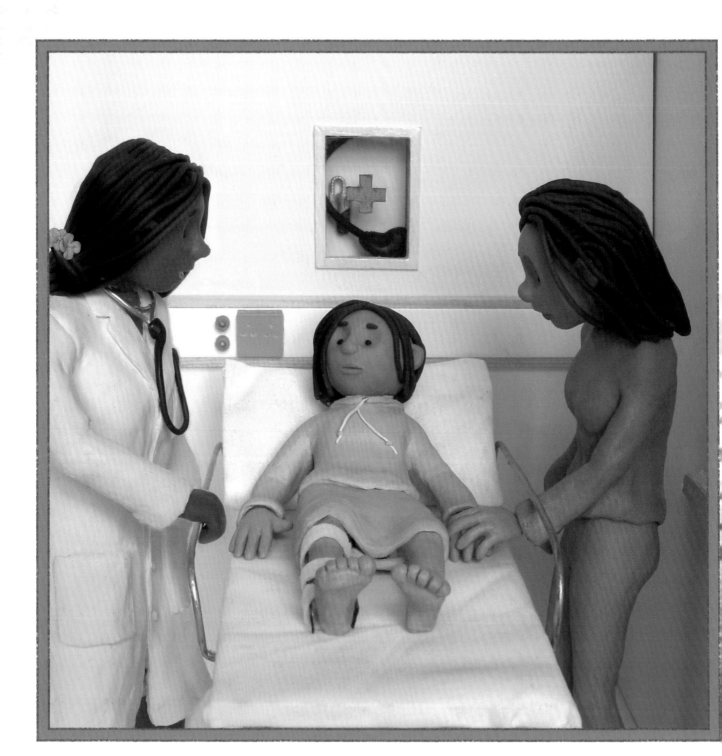

Sonra doktor geldi. "Merhaba Nita," dedi. "Aaa, bu nasıl oldu?"
"Araba çarptı. Bacağım çok ağrıyor," diye ağlandı Nita.
"Sana ağrını kesecek birşeyler veririm. Şimdi bacağını bir görelim,"
dedi doktor. "Evet, kırığa benziyor. Daha yakından görebilmek için
bir röntgen çektirmeliyiz."

Next came the doctor. "Hello Nita," she said. "Ooh, how did that happen?"
"A car hit me. My leg really hurts," sobbed Nita.
"I'll give you something to stop the pain. Now let's have a look at your leg," said
the doctor. "Hmm, it seems broken. We'll need an x-ray to take a closer look."

Bir görevli Nita'yı röntgen bölümüne götürdü, burada çok bekleyenler vardı.

Sonunda Nita'nın sırası geldi. "Merhaba Nita," dedi radyolog. "Şimdi bu alet ile bacağının içinin bir resmini çekeceğim," dedi röntgen cihazını göstererek. "Merak etme, acımayacak. Sadece ben röntgeni çekerken hareket etmemelisin."

Nita başını salladı.

A friendly porter wheeled Nita to the x-ray department where lots of people were waiting.

At last it was Nita's turn. "Hello Nita," said the radiographer. "I'm going to take a picture of the inside of your leg with this machine," she said pointing to the x-ray machine. "Don't worry, it won't hurt. You just have to keep very still while I take the x-ray."

Nita nodded.

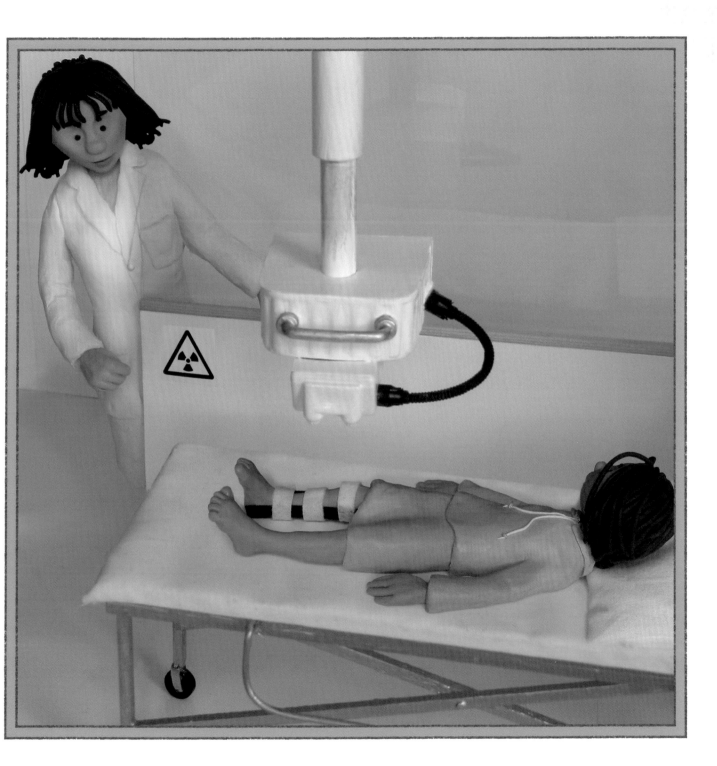

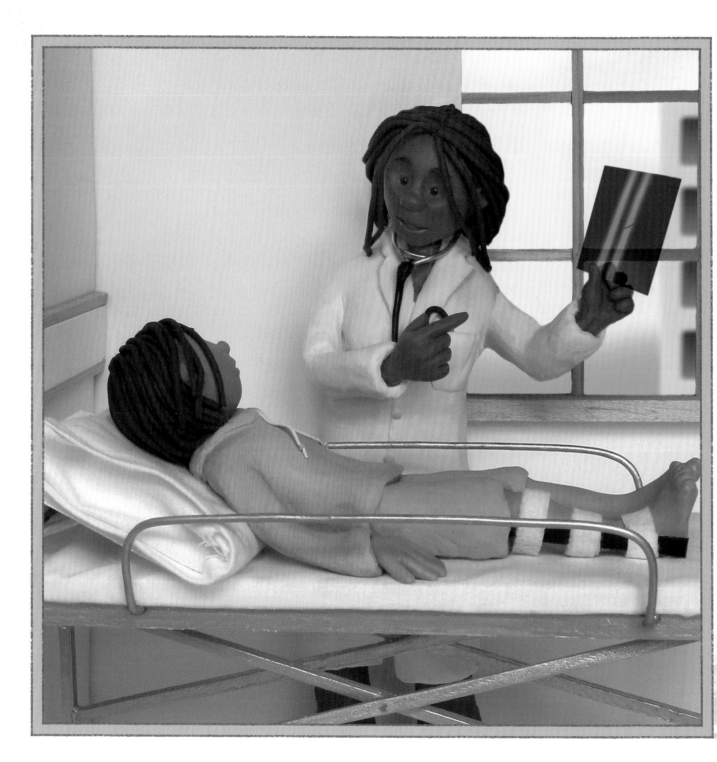

Kisa bir süre sonra doktor röntgen filmi ile geldi. Yukarı tuttuğunda Nita bacağının içindeki kemiği görebiliyordu.

"Tam düşündüğüm gibi," dedi doktor. "Bacağın kırık. Kemiği yerine koyup alçıya almamız gerekecek. Bu kemiğin oynamasını engelleyerek iyileşmesini sağlar. Ama şu anda bacağın fazla şiş. Gece burada kalman gerekecek."

A little later the doctor came with the x-ray. She held it up and Nita could see the bone right inside her leg!

"It's as I thought," said the doctor. "Your leg is broken. We'll need to set it and then put on a cast. That'll hold it in place so that the bone can mend. But at the moment your leg is too swollen. You'll have to stay overnight."

Görevli Nita'yı tekerlekli sandalye ile çocuk bölümüne götürdü.
"Merhaba Nita. Benim adım Rose ve ben senin özel hemşirenim.
Sana ben bakacağım. Tam zamanında geldin," dedi.
"Niye?" diye sordu Nita.
"Çünkü yemek vakti. Seni önce yatağa yerleştirelim sonra da
yemeğini yersin."
Rose hemşire Nita'nın bacağına biraz buz koydu ve bir tane daha
yastık getirdi ama başının altına değil… bacağının altına.

The porter wheeled Nita to the children's ward. "Hello Nita. My name's Rose
and I'm your special nurse. I'll be looking after you. You've come just at the
right time," she smiled.
"Why?" asked Nita.
"Because it's dinner time. We'll pop you into bed and then you can have
some food."
Nurse Rose put some ice around Nita's leg and gave her an extra pillow, not
for her head… but for her leg.

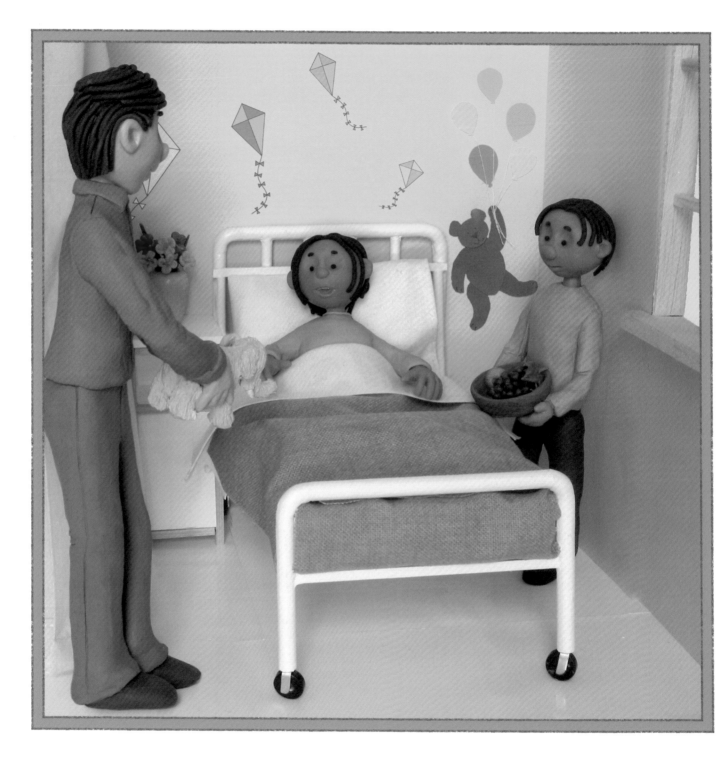

Yemekten sonra Baba ve Jay geldi. Baba ona kocaman sarıldı ve en sevdiği oyuncağı verdi.

"Bacağını görebilirmiyim?" diye sordu Jay. "Ayy! İğrenç. Ağrıyor mu?"

"Çok," dedi Nita, "ama ağrı kesici verdiler."

Rose hemşire tekrar Nita'nın ateşine baktı. "Uyku vakti geldi artık," dedi. "Baba ve kardeşin gitmek zorunda ama Annen kalabilir… bütün gece."

After dinner Dad and Jay arrived. Dad gave her a big hug and her favourite toy.

"Let's see your leg?" asked Jay. "Ugh! It's horrible. Does it hurt?"

"Lots," said Nita, "but they gave me pain-killers."

Nurse Rose took Nita's temperature again. "Time to sleep now," she said.

"Dad and your brother will have to go but Ma can stay… all night."

Ertesi sabah erkenden doktor Nita'nın bacağını kontrol etti. "Evet çok daha iyi görünüyor," dedi. "Sanırım kemiği yerleştirebiliriz."
"O ne demek?" dedi Nita.
"Seni uyutmak için sana anestezi vereceğiz. Ondan sonra kemiği doğru yerine itip bacağını alçıya alacağız. Merak etme, hiçbir şey hissetmeyeceksin," dedi doktor.

Early next morning the doctor checked Nita's leg. "Well that looks much better," she said. "I think it's ready to be set."
"What does that mean?" asked Nita.
"We're going to give you an anaesthetic to make you sleep. Then we'll push the bone back in the right position and hold it in place with a cast. Don't worry, you won't feel a thing," said the doctor.

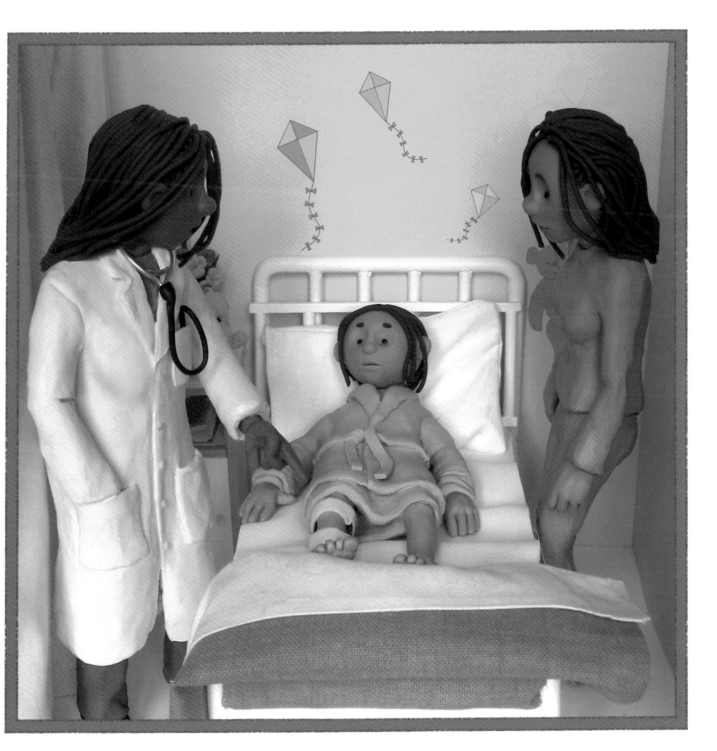

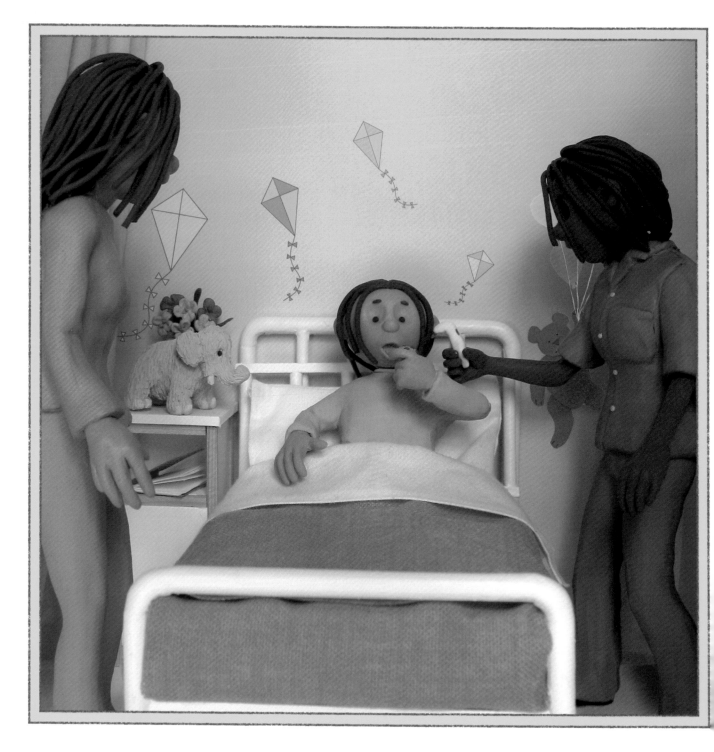

Nita kendini bir haftadır uyuyormuş gibi hissediyordu. "Ne kadar zamandır uyuyorum Anne?" diye sordu.

"Sadece bir saat kadar," diyerek gülümsedi annesi.

"Merhaba Nita," dedi Rose hemşire. "Uyandığını görmek güzel. Bacağın nasıl?"

"İyi ama çok ağır ve sert sanki," dedi Nita. "Birşeyler yiyebilirmiyim?"

"Evet, birazdan yemek vakti gelecek," dedi Rose.

Nita felt like she'd been asleep for a whole week. "How long have I been sleeping, Ma?" she asked.

"Only about an hour," smiled Ma.

"Hello Nita," said Nurse Rose. "Good to see you've woken up. How's the leg?"

"OK, but it feels so heavy and stiff," said Nita. "Can I have something to eat?"

"Yes, it'll be lunchtime soon," said Rose.

Öğlene doğru Nita kendini daha iyi hissediyordu. Diğer çocuklara katılabilmesi için Rose hemşire onu tekerlekli sandalyeye oturtturdu.
"Sana ne oldu?" diye sordu bir çocuk.
"Bacağımı kırdım," dedi Nita. "Ya sen?"
"Kulaklarımdan ameliyat oldum," dedi çocuk.

By lunchtime Nita was feeling much better. Nurse Rose put her in a wheelchair so that she could join the other children.
"What happened to you?" asked a boy.
"Broke my leg," said Nita. "And you?"
"I had an operation on my ears," said the boy.

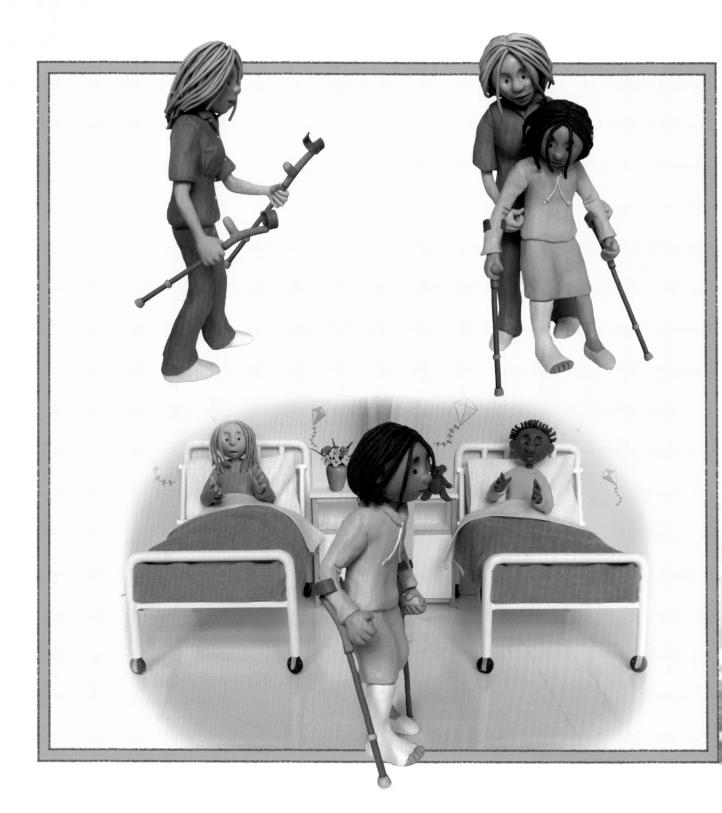

Öğlenden sonra bir fizyoterapist değenekler ile geldi. "Al bakalım Nita. Bunlar dolaşmana yardımcı olacak," dedi.

İterek ve tutunarak Nita koğuşun etrafında yürümeye başladı.

"Aferin," dedi fizyoterapist. "Sanırım artık eve gidebilirsin. Ben gidip doktoru çağırayım."

In the afternoon the physiotherapist came with some crutches. "Here you are Nita. These will help you to get around," she said.

Hobbling and wobbling, pushing and holding, Nita was soon walking around the ward.

"Well done," said the physiotherapist. "I think you're ready to go home. I'll get the doctor to see you."

O akşam Anne, Baba, Jay ve Rocky Nita'yı almaya geldiler. "Harika," dedi Jay Nita'nın alçısını görünce. "Üstüne birşeyler çizebilirmiyim?"

"Şimdi olmaz! Eve gidince," dedi Nita. Belki de alçılı bir bacak o kadar da kötü olmayacaktı.

That evening Ma, Dad, Jay and Rocky came to collect Nita. "Cool," said Jay seeing Nita's cast. "Can I draw on it?" "Not now! When we get home," said Nita. Maybe having a cast wasn't going to be so bad.